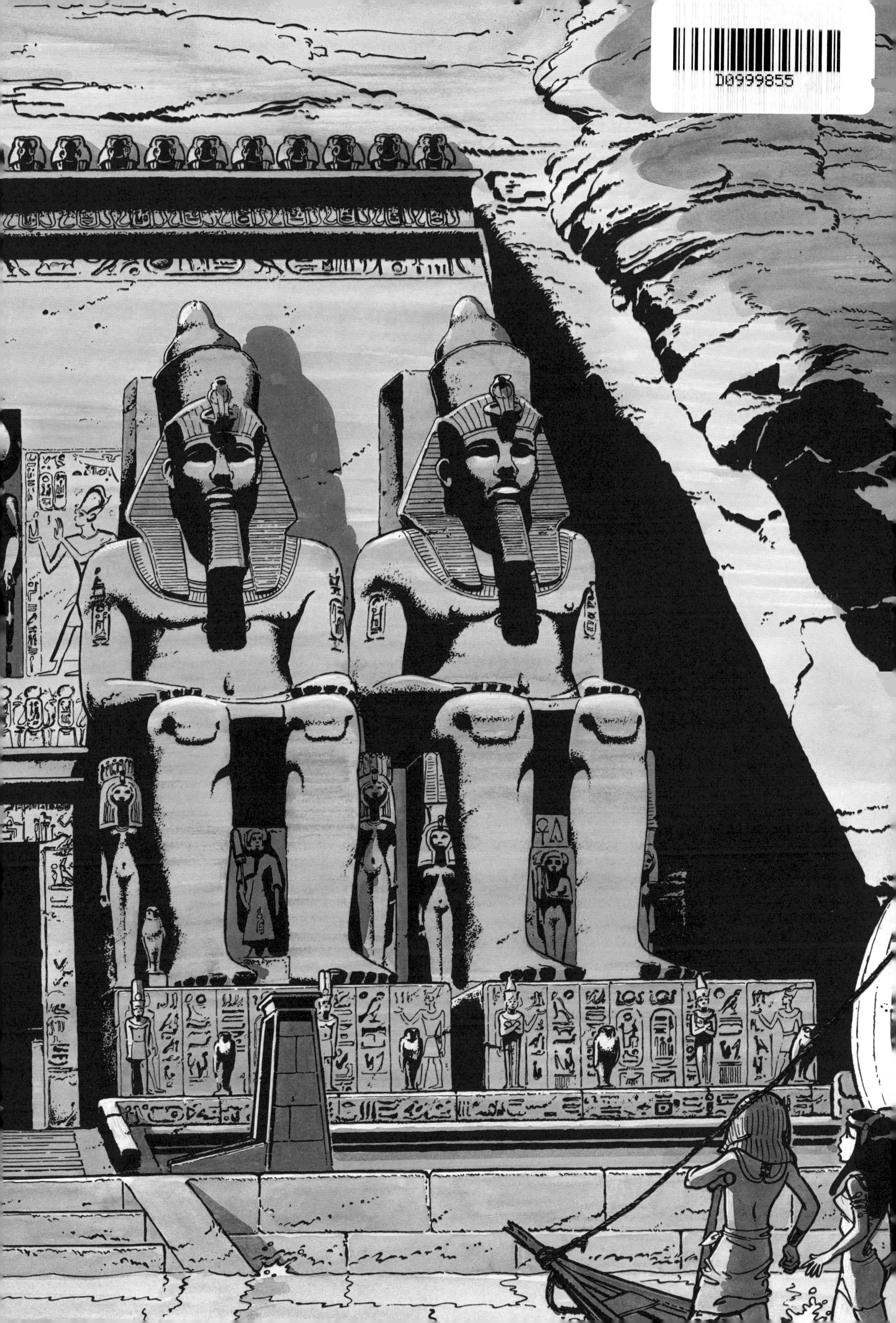

LE LABYRINTHE

DE GIETER.

DUPUIS

LE MONDE AU TEMPS DE PAPYRUS

L'époque de Papyrus, le XIIe siècle avant Jésus-Christ, coïncide avec la naissance de la mythologie grecque. C'est le temps des **Héros** de l'Odyssée et de l'Iliade.

D'après la légende, les descendants de **Zeus** et d'**Io** *ont régné plus d'un siècle sur l'Egypte.* (Ce sont les Hyksos de l'histoire égyptienne.)

Epaphos serait Apophis, dernier pharaon hyksos, chassé d'Egypte par Amosis, premier pharaon de la XVIIIe dynastie.

Les descendants d'Epaphos retournèrent en Grèce. Danaos se fixa à Argos, Cadmos à Thèbes, en Béotie, et Europe en Crète où elle donna le jour à **Minos**, fils de Zeus. Ce fut le premier roi de la lignée des Minos, dont **Minos Idoménée**, héros de la guerre de Troie, est le dernier représentant.

Un siècle plus tard, avec l'invasion des Doriens venant du Nord et le retour des Héraclès, le temps des **Héros** prend fin.

D. 1998/0089/58 — R. 6/2003.
ISBN 2-8001-2733-3 — ISSN 0771-8969

Imprimé en Belgique.
www.dupuis.com

Emporté par les puissants courants qui traversent la Méditerranée, un petit voilier lutte désespérément contre les vagues furieuses de la tempête.

Gouvernail brisé, voile arrachée, la frêle embarcation n'est bientôt plus qu'une épave.

La tempête atteint son paroxysme, quand soudain...
CRAAAC
DE GIETER
1

AAAAH!
LE BATEAU EST BRISÉ!
PAR LES DIEUX, NOUS SOMMES PERDUS!

Un instant, les hurlements de l'ouragan sont dominés par une plainte de terreur.
!

LE DIEU APIS!

Je ne peux pas le laisser mourir prisonnier!

DE GIETER.

Nous allons tous périr noyés, hélas! Je n'aurai pas accompli la mission que m'a confiée Pharaon!

*GRANDE JARRE DE LA HAUTEUR D'UN HOMME.

Belle Princesse, vous connaissez le culte que mon pays voue au taureau. Le même culte qui, ici à Memphis, entoure le dieu Apis. J'aimerais, avant toute chose, lui rendre hommage !
Accordé ! Prince Mélos !

Papyrus ! Réunis une petite escorte ! Nous partons immédiatement pour le temple de Ptah !
Les chars vous attendent, Princesse !

Quel superbe voilier, Prince Mélos !
Oui ! Heu... contrairement aux Égyptiens ...

Les Crétois sont des marins hors ligne, Princesse. N'oubliez pas que la Crète est une île. C'est notre talent maritime qui a fait de nous les maîtres de la Méditerranée ! Les peuples de la mer !

Plus tard, la petite troupe longe Memphis, la blanche ... quand soudain ...

OH ! Par tous les dieux ! Qu'est-ce que c'est que ça ?
DE GIETER.
4

Oh, ça?... C'est la pyramide de Pépi I. Elle a plus de mille ans!...
Mille ans ?!

Hum! N'oubliez pas que les Egyptiens sont des bâtisseurs ...hors ligne, Prince! Le peuple des Pyramides!
Un partout!

Bientôt, la petite troupe traverse les ruelles étroites de Memphis, où se côtoient marchands syriens, libyens, mitanniens, hittites, crétois...
Place! Place!
DE GIETER

EnFin, elle pénètre dans le grand temple de Ptah.

Princesse Théti-Chéri !... Descendante d'Horus. Votre visite est un grand honneur !
Le Prince Mélos désire rendre hommage au taureau sacré !

Le dieu Apis est dans l'enclos divin ! Si vous voulez nous suivre !...

Voici le prêtre préposé à la garde du dieu !...
Et voici Apis !

SUPERBE !
MAGNIFIQUE !
Je veux l'approcher !
Bien sûr, Princesse. Prenez ce talisman !

Théti ? Que fais-tu ?

Par les dieux ! Cet animal est dangereux ! Elle va se faire encorner !
Vous oubliez que la princesse est fille d'un dieu !

Ô ! Taureau puissant ! Incarnation du divin Apis ! Accepte ce pectoral d'or, hommage de Théti-Chéri !

Piétinant d'impatience, le monstre se redresse, flairant cette intruse qui ose pénétrer sur son territoire.

Un instant, le temps semble suspendu.

Et soudain devant l'assistance médusée le colosse s'agenouille devant Théti-Chéri, en signe de soumission.

Moi aussi je veux faire offrande à Apis!

Seigneur! Non! N'y allez pas! NON!

Mais c'est trop tard. D'un bond, le taureau s'est dressé pour faire face à ce nouvel intrus... et charge.

Sauvez-vous! Seule la Princesse est protégée par le talisman!
DE GIETER
7

Un prince crétois ne se sauve pas devant le dieu taureau!

Les terribles cornes, éblouissantes dans le soleil, ont frappé.
D'un bond, le prince a évité le coup mortel.

Dans un mugissement de colère, le taureau tourne sur lui-même, renversant Melos...

Qui l'instant d'après, est piétiné par le monstre.

Seigneur Apis! Non! Ne faites pas ça! Par pitié!
Il faut l'arracher aux pattes du dieu!

Mais c'est en vain. Devant toute la délégation crétoise horrifiée, son prince est mis à mort par Apis.
NOON!

DE GIETER .89.
AAAAAAAH
8

Par tous les dieux! Apis! Recule!... Recule!
Seigneur Apis, calmez-vous!

Allons!...Doucement!... Venez par ici, seigneur Apis!
Oooh... Oooh...

Théti-Chéri!...

Ne bougez pas, Prince! Nous allons ramener le grand prêtre médecin!
Non! Ecoutez-moi!... C'est trop tard!...

...Par inconscience...par orgueil... J'ai transgressé les lois sacrées... Apis m'a...puni...je vais...mourir...

Un long moment, l'assistance reste silencieuse, tandis que le prince Mélos, fait de terribles efforts pour parler.
Princesse!...

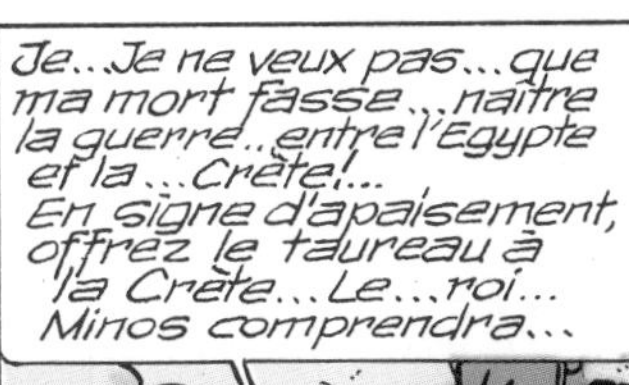
Je...Je ne veux pas...que ma mort fasse...naître la guerre...entre l'Egypte et la...Crète!... En signe d'apaisement, offrez le taureau à la Crète...Le...roi... Minos comprendra...

...Adieu!
Prince Mélos, vous serez exaucé, je vous en donne ma parole!
C'est inutile, Princesse, il est mort!
DE GIETER.
9

*Kêmi : Terre noire, nom que les Egyptiens donnaient à leur pays.

Je suggère à Sa Majesté de confier cette mission à ... Papyrus. Il a assisté au drame, il fera un parfait porte-parole des condoléances royales !...
La Grande Epouse Royale Moutnedjèmet parle avec sagesse !
Mais... Je...

Soit ! C'est décidé ! Papyrus sera notre ambassadeur et accompagnera la délégation crétoise. Dans soixante-dix jours un voilier égyptien amènera la momie du Prince et ramènera Papyrus en Egypte !

Les ordres de Pharaon seront exécutés par son humble serviteur !

Je ne suis pas mécontent d'éloigner Papyrus de la cour et du cercle des compagnons de la princesse, sa familiarité avec Théti-Chéri ne me plaît pas trop !
!

Et puis, cette ambassade est très risquée. On ne peut savoir quelle sera la réaction du roi Minos à l'annonce de la mort de son fils !

Formidable ! Théti-Chéri, je vais faire un voyage fabuleux ! Découvrir la Crète ! Me voilà élevé au rang d'ambassadeur ! Tu te rends compte ?
C'est très dangereux, Papyrus ! Que fera le roi de Crète !

Tatata ! Par Horus ! Personne ne lèverait la main sur l'envoyé de Pharaon !
Nous serons séparés !

Bah ! Ça nous fera du bien. J'aurai des tas de choses à te raconter à mon retour !
DE GIETER
11

Papyrus! J'ai... J'ai un pressentiment!... Tiens! Prends le talisman du dieu Apis. Il te protégera!

Oh, Papyrus! Fais bien attention à toi!
!

Adieu! Et que les dieux te protègent!
? ? ?

Notre mission se termine ici. Nous devons rentrer en Crète au plus vite! Afin d'annoncer à notre roi la pénible nouvelle de la mort de son fils!
J'ai donné des ordres pour qu' Apis soit conduit sans tarder à bord du voilier!
Je vais préparer mon coffre de voyage!

Plus tard...
PAR APIS! LA MALÉDICTION DES DIEUX VOUS POURSUIVRA JUSQU'EN CRÈTE!
Néchao!...
DE GIETER

Vas-tu te taire! Ou Pharaon te fera couper le nez et les oreilles!

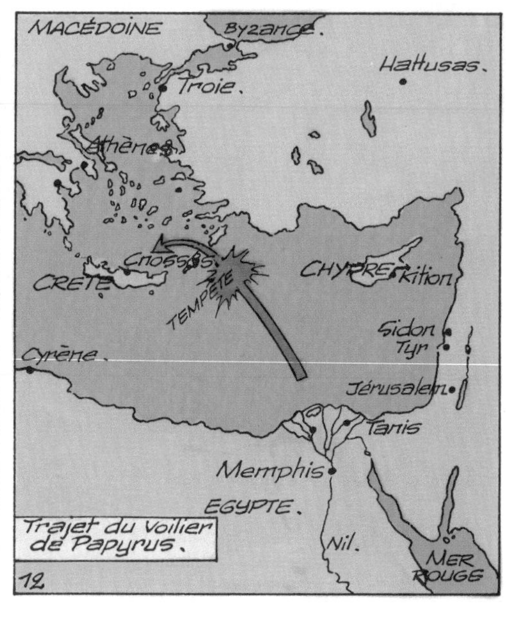
MACÉDOINE
Byzance
Hattusas
Troie
Athènes
Cnossos
CRÈTE
TEMPÊTE
CHYPRE
Kition
Sidon
Tyr
Cyrène
Jérusalem
Tanis
Memphis
EGYPTE
Nil
MER ROUGE
Trajet du voilier de Papyrus.
12

Le beuglement du taureau ramène brusquement Papyrus à la réalité.
MMMEAEUUU
Je dois libérer Apis de ses entraves avant de périr!

Taureau divin! Te voilà délivré de tes liens! Que les dieux te viennent en aide!... Et qu'ils ne m'oublient pas!

Hélas! Comme en réponse à ses supplications, la traverse de l'enclos disloqué vient frapper Papyrus à la tête.

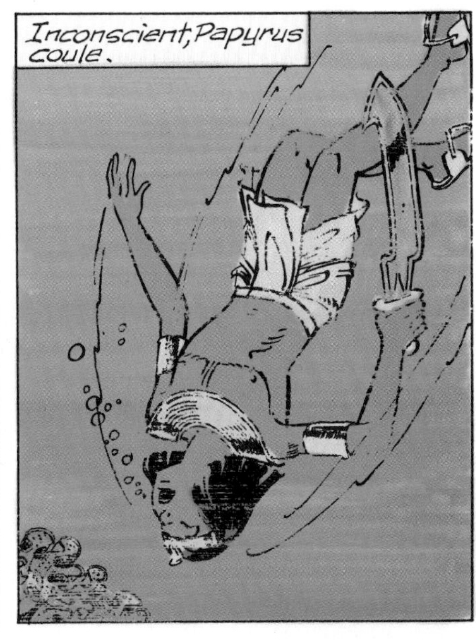
Inconscient, Papyrus coule.

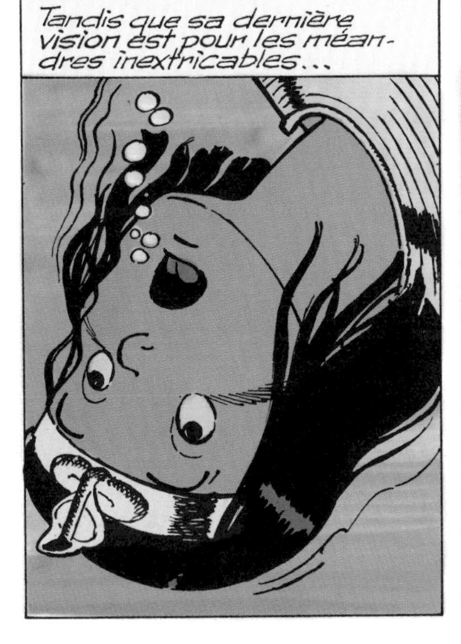
Tandis que sa dernière vision est pour les méandres inextricables...

des colonies coralliennes, les "CERVEAUX DE NEPTUNE"

Le corps de Papyrus descend lentement quand soudain, jaillissant des profondeurs.
DE GIETER
13

Encadrant leur précieux fardeau, les dauphins bondissent dans les vagues, se jouant de la tempête.

Beaucoup plus tard, la tempête s'est apaisée.

Oh!... Ma tête! Où suis-je?...
?

Théti-Chéri? Comment est-ce possible! Je suis revenu en Egypte?

Au lieu de répondre à Papyrus, "Théti-Chéri" lui fait signe de la suivre en silence.
!
DE GIETER
14

*Les Mycéniens sont les ancêtres des Grecs.

HA!HA!HA!
Confondre l'Égypte et la Crète! C'est trop drôle! Tu n'es pas mycénien en effet!

D'où viens-tu, toi qui es assez fou pour naviguer malgré la fureur de Zeus?

Hélas, Seigneur! J'étais à bord du navire crétois qui ramenait la délégation que Votre Majesté a envoyée à mon maître le Pharaon Merenptah, Vie, Force, Santé!
QUOI?

Notre voilier a été pris dans une terrible tempête qui nous a emportés pendant deux jours, avant de sombrer corps et biens!
Ce n'est pas possible! La délégation ne devait rentrer qu'après le temps des tempêtes!

Le prince Mélos est trop bon marin. Il n'aurait jamais ordonné le retour en cette période!
Le prince Mélos est mort en Egypte, Seigneur!

Et Papyrus explique le terrible drame qui a fait périr le prince Mélos, tandis que le roi écoute, le visage de glace.
...seul représentant de Pharaon, j'ai été sauvé par miracle!

Un instant, Minos vacille sous le choc.

Mon Fils mort! La délégation crétoise anéantie! Le taureau sacré noyé!... Et tu oses paraître devant moi, porteur de pareilles nouvelles! C'est trop!

Demain, tu seras mis à mort, au cours des cérémonies du Minotaure!
DE GIETER
18

BAM

Voilà encore une pauvre victime expiatoire offerte au Minotaure ! Ha! Ha! Ha! Ha!

Alors, compagnon ! Tu viens partager ma dernière nuit ?
Qui êtes-vous ?

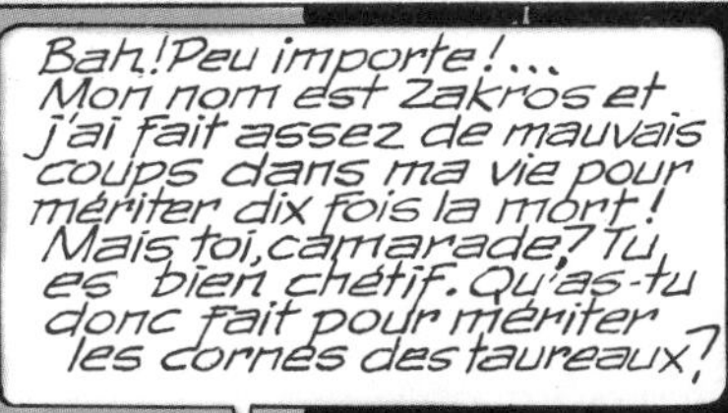
Bah! Peu importe !... Mon nom est Zakros et j'ai fait assez de mauvais coups dans ma vie pour mériter dix fois la mort ! Mais toi, camarade ? Tu es bien chétif. Qu'as-tu donc fait pour mériter les cornes des taureaux ?

Une fois encore, Papyrus conte son histoire.
La mort de son fils ! Et la perte du taureau sacré ! Je comprends la fureur de Minos. Sache qu'en Crète, le taureau est divin et depuis quelques années, une étrange maladie décime les troupeaux sauvages. Ce taureau égyptien était un grand espoir pour le roi, son pouvoir est en jeu !

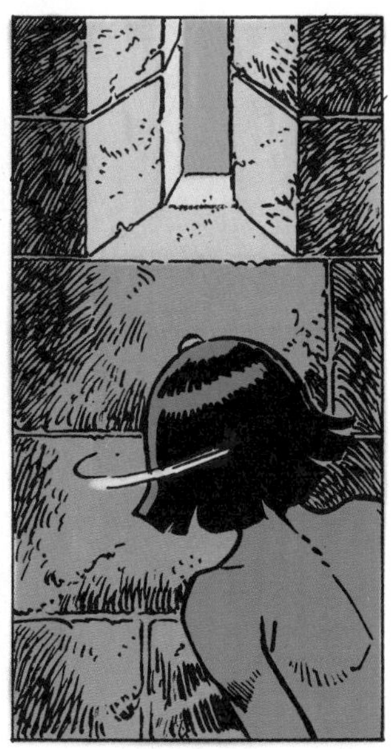

Inutile de rêver, gamin ! On ne sort pas d'ici. Console-toi, nous sommes aux premières places pour assister au spectacle demain. En attendant notre tour. Ha! Ha! Ha! Ha!

Allons, Papyrus ! Viens dormir ! Il faut être en forme pour affronter la mort !
Dormir ! Bah !
17

Hé! Papyrus! Réveille -toi! Tu vas rater le spectacle! Papyrus!
Hein? Quoi?

Ce n'est plus le moment de dormir! Viens voir!
?

Oh! La jeune fille que j'ai prise pour Théti-Chéri!
C'est Ariane. La fille du roi Minos. Danseuse sacrée, elle est muette!... Mais très belle!

Les trompettes ont retenti. La foule fait silence, et soudain...

Sans hésiter, le monstre se précipite sur cette intruse.
DE GIETER.
PAR HORUS!
18

Evitant les terribles cornes, la danseuse a bondi sur le dos du taureau et s'y maintient en équilibre.

FANTASTIQUE!

Sous les yeux de Papyrus, la danseuse, défiant les lois de l'équilibre, dessine de fascinantes figures, debout sur le dos du fauve...

rendu furieux par cette créature dont il essaie en vain de se débarrasser. Tandis que les spectateurs retiennent leur souffle.

Et puis soudain, c'est l'explosion. La foule crie, hurle, applaudit à tout rompre les prouesses de la danseuse.
HOURRA!
VIVA!
HOURRA!
BRAVO!
VIVA!
BRAVO!
19

En un instant, elle a envahi l'arène et porte la jeune prêtresse en triomphe.

Allons! Doucement! Doucement!

Alors, le Grand Prêtre s'avance et impose le silence.
L'heure du sacrifice est arrivée!...

A toi, puissant Minos, l'honneur d'offrir ce sacrifice à l'unique, le Divin Minotaure!
Que l'on amène les prisonniers et le taureau sauvage récemment capturé!

Tu as entendu, Zakros? C'est l'heure! Et pour toi aussi, gamin! Allez, avancez!

Adieu, Papyrus! Heureux de t'avoir rencontré!
Adieu, Zakros! ... Et que ta mort te soit douce!

Quelques secondes plus tard, c'est Papyrus qui est poussé dans les sombres couloirs.

Pour déboucher à son tour dans l'arène inondée de soleil.
DE GIETER
20

Avance! C'est à ton tour maintenant de faire le spectacle!
ZAKROS?!

Arrête! Par Anubis! Laisse-le!

Hé! Hé! Il ne manque pas de courage, ce gamin!
Ouais! C'est plutôt de l'inconscience!

Un instant, Papyrus et le taureau restent face à face et...
PAR TOUS LES DIEUX!

Ce taureau?! C'est APIS! Lui aussi, il a échappé au naufrage!

L'instant d'après, le taureau charge. Sans hésiter, Papyrus plonge.

Roulant sur lui-même.

Et...
!
DE GIETER
21

Par tous les dieux d'Egypte! Le talisman de Théti-Chéri !...Il était dans ma ceinture! Si je pouvais!...
Joli rétablissement!
Pourquoi reste-t-il là?
Il veut voir la mort en face! Et en finir!
DE GIETER.
22

Non! A l'ultime instant, Papyrus a pivoté, tandis que le monstre le frôle, tête baissée.

Par Horus! Il n'a pas vu le talisman!

A nouveau, Papyrus et Apis se font face.

Et soudain, le taureau bondit.

Mais c'est pour venir s'agenouiller aux pieds de Papyrus.
DE GIETER
23

Face à ce prodige, la foule reste pétrifiée dans un silence total.

Puis soudain, c'est l'explosion, le délire, les Crétois hurlent leur admiration.
BRAVO!
HOURRA!
FORMIDABLE!
BRAVO, L'ÉGYPTIEN!
VIVA!
GRÂCE POUR LUI!
VIVA!

Que fait-on, Seigneur?
J'ai décidé la mort de l'Égyptien! Je veux être obéi! Ce taureau est un lâche! Tuez-les tous les deux!
Non!
Non!
Grâce pour l'Égyptien!

Malgré la foule hostile, "les gardiens du Minotaure", la garde qui entoure le roi, s'avance vers Papyrus...
Tuez-les!

qui, angoissé, recule...

recule...
DE GIETER

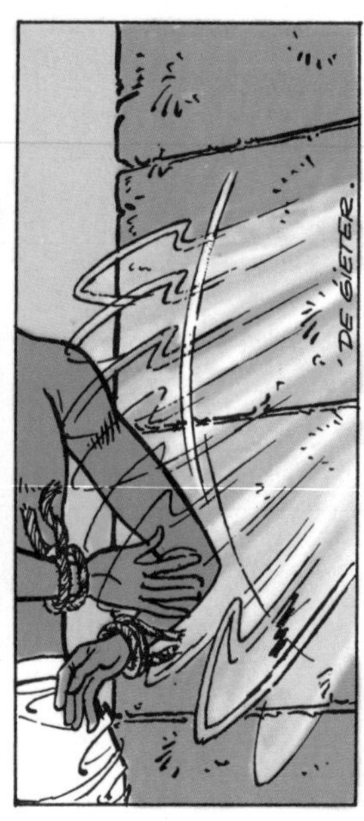

Mon glaive?
24

Face à la meute, le cerf se sait perdu; pourtant à l'ultime instant encore, il fait face aux chiens.
Vous ne me tenez pas encore!

Stupéfaite de pareille résistance, la garde de Minos recule...

Qu'attendez-vous, pleutres? Tuez-le! Tuez-le! Je vous l'ordonne!
Ha! Ha! Ha!
Quatre contre un! Bravo, l'Egyptien!

AAAAH! A Moi! DIVIN APIS, AU SECOURS!
DE GIETER
25

* MÊME HOMÈRE N'EN PARLE PAS !

Gloire à Minos, roi de Crète! Et à sa garde à la double hache!
Ho! Ho! Ho!
A la double béquille, ouais!
Une grande victoire pour la garde du roi! ...
Houhouu!
Encore une victoire comme celle-là et nous en serons débarrassés!
Vive l'Egyptien!

Et après avoir conduit Apis dans son enclos sacré ...
Tu as été formidable!
Et tes bracelets d'or!
Voici ton pectoral!
Te voilà devenu un héros, Papyrus!

Zakros?! Tu n'es pas...?
Mort? Non, grâce à toi, petit. Je vais bien. Le taureau n'a pas eu le temps de m'achever! Foi de Zakros, ce que tu as fait, personne ne l'a réussi avant toi!

Moi aussi, je te dois la vie: sans mon glaive, que tu m'as rendu ...
Ton glaive? J'aurais été bien incapable de te le rendre!

Qui alors?
!

Ah! Te voilà, l'Egyptien! Le roi Minos a donné des ordres. Nous allons te conduire dans tes appartements!
DE GIETER
27

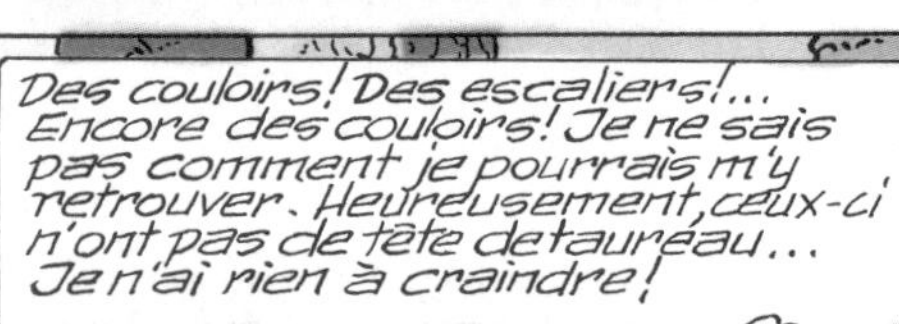

La petite troupe débouche enfin dans une large cour inondée de soleil et entourée d'une double galerie.

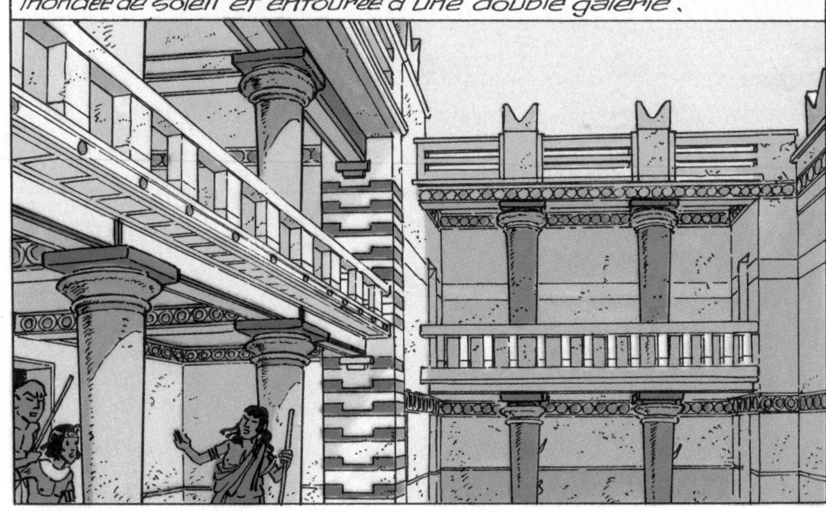

Jetez-le dans le labyrinthe ! Il ira y mourir comme tous les ennemis de la Crète !

HA! HA! HA...
HA! HA!
Où suis-je ?

HA! HA! HA! TU ES DANS LE LABYRINTHE, EGYPTIEN, D'OÙ L'ON NE REVIENT JAMAIS!

...JAMAIS !
DE GIETER.
89

?

Complètement affolé Papyrus se met à courir en tous sens, butant à chaque détour sur les ossements des malheureuses victimes du labyrinthe.

DE GIETER.
30

Impossible de reconnaître, ...même l'endroit où je suis passé!...
...Je suis complètement perdu!

Peut-être que?...Par cette fissure étroite, je pourrais essayer de grimper!

Les parois sont de plus en plus rapprochées! Ça fonctionne!

Encore un petit effort! Hé! Hé!...

Hé!...
?

Par Horus! Ce n'est pas possible!... Les murs s'écartent!

Un instant pétrifié, Papyrus lâche prise et se colle à l'une des parois, mais ...
DE GIETER
31

!

AAAHHH!

Aareueu... mem!...

Aaaa!...

Par tous les dieux! J'ai failli être étranglé par ce... ce labyrinthe! Cette chose...

Cette chose est VIVANTE!...
Les couloirs changent sans cesse de forme! Impossible de retrouver son chemin!
DE GIETER.

Butant à chaque pas sur des restes putréfiés, Papyrus erre dans les interminables méandres du gigantesque madrépore.

Beaucoup plus tard...
Je n'en peux... plus ... C'est fini!
32

...Fini!...

?
La princesse Ariane?...Comment est-ce possible? vous connaissez le chemin pour sortir?

La princesse fait un signe de dénégation.

Un fil?

Oh! Par Horus! Je comprends! Tu as déroulé un fil derrière toi. Il n'y a plus qu'à retourner en arrière!

Je te suis!
!

Quoi?...Oh!... La paroi s'est refermée! Attends!...

Ça, je peux peut-être arranger!
DE GIETER
33

Le mur reste insensible aux coups furieux de Papyrus, mais une brèche apparaît.

Ça y est! Le passage est libre et le fil est là!

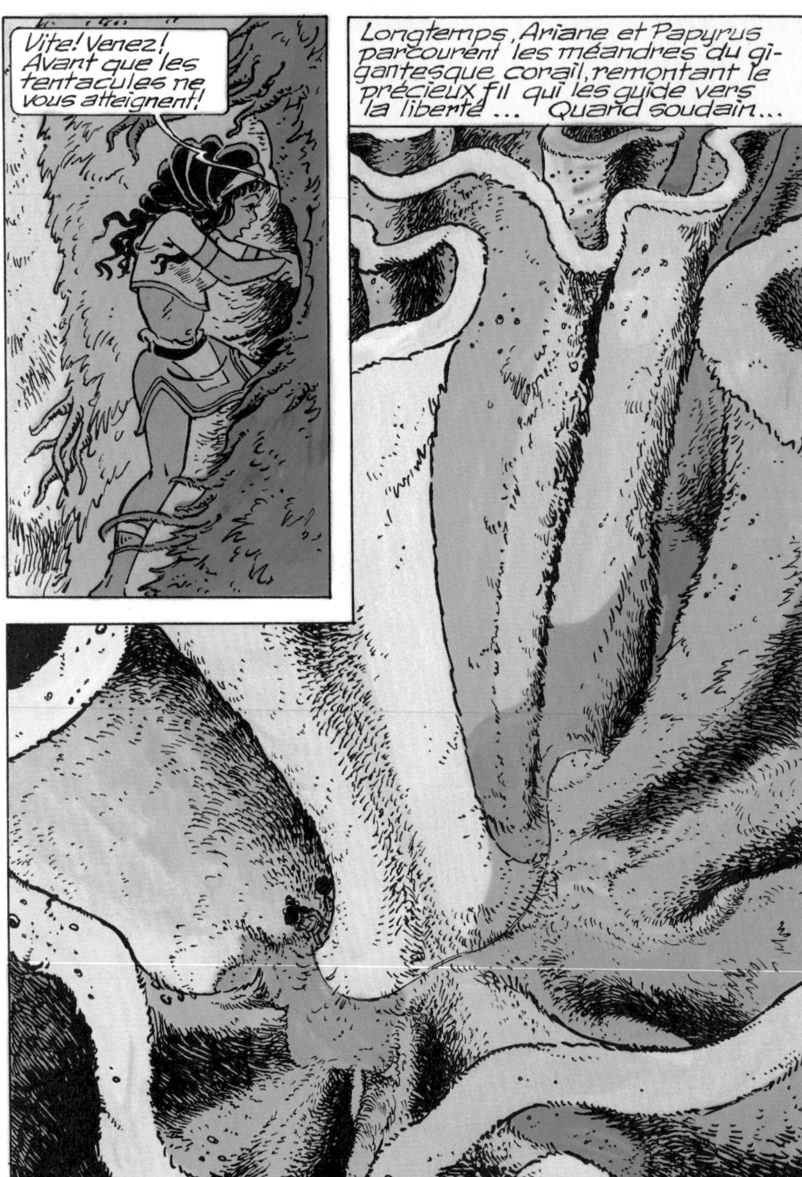
Vite! Venez! Avant que les tentacules ne vous atteignent!
Longtemps, Ariane et Papyrus parcourent les méandres du gigantesque corail, remontant le précieux fil qui les guide vers la liberté... Quand soudain...

Hé! Princesse... Attendez!

Aaaah! Vous voilà! Il n'est pas bon de se perdre de vue dans ce dédale!
DE GIETER
34

Le fil est cassé! Sans doute depuis longtemps!...
Et vous n'avez rien remarqué!

Cette fois, je crois que nous sommes perdus!

?

De l'eau!

Ça s'enfonce!
Et c'est de l'eau salée!

Princesse, suivez-moi, je crois que nous sommes sauvés!...

Enfin... Si ce corail est venu de la mer!...

...Il y a une grande chance pour qu'une partie y plonge toujours!
DE GIETER
35

Formidable! La hauteur des parois diminue de plus en plus!

Je ne me suis pas trompé! Regardez!

Nous n'avons plus de raison d'avoir peur! Voilà la mer! NOUS AVONS VAINCU LE LABYRINTHE!

Mais en réponse, la princesse Ariane recule, terrifiée.
Qu'est-ce que c'est?!

Un instant paralysée d'horreur, la fille de Minos ouvre la bouche...

Et tout à coup, de sa gorge longtemps muette, un hurlement jaillit, terrifiant.
Ce n'est pas vrai! Ça n'existe pas!
DE GIETER
36

RHAAAAAH
LE MINOTAURE !!
DE GIETER
37

Complètement affolés par cette vision terrifiante, la Princesse et Papyrus se précipitent dans le labyrinthe...

Le souffle du monstre dans le dos, ils parviennent à sortir de l'eau...

...Alors seulement, Papyrus jette un oeil par-dessus son épaule...

Et..
?

Par Horus! Il se passe quelque chose!?

ARHAAH
DE GIETER 38

Là! Sous les yeux horrifiés d'Ariane et de Papyrus, un combat titanesque s'est engagé entre le colosse et le labyrinthe géant. Méandres flasques et tentaculaires, dans un frémissement, se transforment ...
RHAAAA
... Enlaçant... paralysant le Minotaure, qui bientôt, broyé par les parois carnivores!...
RHEEEE
AAAAA
DE GIETER
39

Agonise...
Il ne faut pas rester ici, Princesse !
ARRRRRKHRR
Nous risquons de subir le même sort !

Quelques instants plus tard, ils ont quitté le labyrinthe....

...mais hélas...
Des falaises inaccessibles des deux côtés ! Que peut-on faire pour rejoindre la terre ?
Il reste un chemin !

Quoi ? Vous voulez retraverser le labyrinthe ? Jamais !
Non ! Pas le retraverser ! Suis-moi !

Mais ?! Par tous les dieux d'Egypte et de Crète !...
Qu'y a-t-il ?

Tu...heu... vous parlez !
DE GIETER.
40

C'est la heu... vue du Minotaure, qui m'a fait retrouver la parole !...
Mais dépêche-toi, il ne faut pas laisser aux coraux le temps de nous agripper !

Hé! Ho! Attends ! Je ne danse pas sur le dos des taureaux, moi !

EEEEEEH ?!

Ne...ne me lâche pas! Je sens déjà les tentacules de ce monstre me lécher les doigts de pied !
DE GIETER

PLUS TARD...

Je croyais que la labyrinthe était la demeure du Minotaure ?
Oui! Mais sous l'eau! Le monstre vivait dans la partie immergée !...

La partie sortant de l'eau est devenue carnivore, par nécessité sans doute ! Le Minotaure l'a oublié, un instant !
41

Nous arrivons!
C'est pas trop tôt! J'en ai assez de jouer à saute-labyrinthe!

A quoi bon cette garde toujours inutile? Personne ne revient jamais du labyrinthe!
Les hurlements du Minotaure n'ont jamais été aussi effrayants! L'Egyptien s'est bien défendu!

Il a eu ce qu'il méritait! On ne se moque pas impunément de la garde de Minos!
CRRRRR
?

Que disais-tu à propos de l'Egyptien?
AAAAH?
Un... Un... revenant!

Tu es content de ton petit effet, hein?
Hé! Hé!

Viens! Il faut quitter l'île au plus vite!
Attends un instant!...

J'ai un compte à régler avec ce labyrinthe!

En quelques secondes, la torche allume un énorme brasier, alimenté par les ossements desséchés des malheureuses victimes du Corail.

DE GIETER
42

Papyrus! Qu'as-tu fait?
J'ai vengé les victimes de ce monstre sanguinaire!

Revenant ou non, la cible est trop belle pour la rater! Ha! Ha!

TCHAAC

Je suis arrivé juste à temps!
Zakros? Que fais-tu ici?

Tout est prêt. Comme vous me l'avez commandé, Princesse!

Un bateau nous attend dans une crique, non loin d'ici!

Princesse Ariane, ta main! Laisse-moi t'aider!
Non, Papyrus! Ma décision est prise. Mon coeur est triste, mais je reste!
DE GIETER
43

Je suis fille de roi, danseuse sacrée, ma destinée est ici. Mais toi, crains la colère des Crétois. Sauve-toi au plus vite, Papyrus!

Et tandis que l'île tout entière semble s'embraser.
Adieu!

Bientôt, labyrinthe et Minotaure ne seront plus qu'une légende!

Mais?... Ça alors, Papyrus, je n'ai pas rêvé?...

...La princesse Ariane PARLE!
Papyrus! Eh!... Papyrus? ...il dort?
ZZZ

Ce n'est pas encore maintenant que je connaîtrai la fin de l'histoire.
Bah!... Laissons-le à ses rêves!
FIN

DE GIETER 90
44

PRINTED IN BELGIUM BY
proost
INTERNATIONAL BOOK PRODUCTION